W9-CRA-031

# Las almas de la fiesta

## y otros cuentos de Día de Muertos

*A mis muertos, siempre en mi corazón*
J. G.

*Para Aurelia, Ramón, Alberto, Dante, Óscar y don Rafa,*
*quienes me visitan cada noviembre*
I. B.

Coordinación de la colección: Mariana Mendía
Edición: Carla Hinojosa Guerrero
Formación: Suheila Habib
Diseño de forros: Javier Morales Soto

**Las almas de la fiesta y otros cuentos de Día de Muertos**

Texto D. R. © 2016, Judy Goldman
Ilustraciones D. R. © 2016, Israel Barrón

Primera edición: mayo de 2017
Segunda reimpresión: julio de 2019
D. R. © 2017, Ediciones Castillo, S. A. de C. V.
Castillo ® es una marca registrada.

Insurgentes Sur 1886, Florida,
Álvaro Obregón, C. P. 01030,
Ciudad de México, México.

**Ediciones Castillo forma parte del Grupo Macmillan.**

**www.edicionescastillo.com**
**Lada sin costo: 01 800 536 1777**

Miembro de la Cámara Nacional de la Industria Editorial Mexicana.
Registro núm. 3304

ISBN: 978-607-621-698-9

Impreso en México / *Printed in Mexico*

Impreso en los talleres de
Editorial Impresora Apolo, S. A. de C. V.
Centeno 150-6, Col. Granjas Esmeralda,
Iztapalapa, C.P. 09810, Ciudad de México, México.
Julio de 2019.

# JUDY GOLDMAN
## Ilustraciones de ISRAEL BARRÓN

# Las almas de la fiesta
## y otros cuentos de Día de Muertos

CASTILLO DE LA LECTURA

# Nico y Bazu

Nico y Bazu eran inseparables. Su gran historia comenzó una mañana en la que Aurelio, el padre de Nico, salió a cosechar las flores de cempasúchil que se venderían en el mercado. Era tan temprano que todo estaba oscuro y apenas distinguió en el quicio a un perro que más bien parecía un montón de huesos cubiertos de lodo y pelo enmarañado.

—Mira lo que encontré —le dijo a Isabel, su esposa.

—Esa cosa no se puede quedar. Huele mal, seguro tiene pulgas y Nico es apenas un bebé —contestó, mientras le daba de comer a su pequeño hijo.

—Míralo, cariño. Pobrecito. Apenas es un pequeño e indefenso cachorro y no lo podemos dejar en la calle.

Isabel no pudo evitar ver al perro de reojo. Como si algo la forzara, acercó una mano al hocico del animal y, cuando sintió que éste le lamió los dedos cariñosamente, no pudo evitar sonreír:

—Está bien, puede quedarse —aceptó—. Pero lo llamaremos Bazu porque es un perro muy peludo.

—Verás que el cariño y la buena comida harán maravillas —respondió Aurelio quien, luego de besar a Isabel, bañó con agua tibia a su nuevo amigo.

Como lo había predicho Aurelio, los músculos de Bazu se fortalecieron, le creció un sedoso pelo dorado y sus ojos adquirieron brillo. Era un perro feliz que deseaba estar cerca de Nico en todo momento: desde que lo vio en la cuna no se apartó de él y el niño, desde que pudo gatear, no dejó de buscar al perro.

Cuando iba a la escuela, Bazu lo esperaba debajo de un árbol hasta que salía; si su mamá lo mandaba a la tienda, el perro lo acompañaba. Después de cenar, Nico se recostaba en la alfombra, recargaba su cabeza en el lomo del perro y leía un libro. A la hora de apagar la luz, Bazu se acomodaba al pie de la cama para acurrucarse junto al niño durante la noche.

Ambos amaban los extensos sembradíos que tenía el papá de Nico, especialmente cuando floreaba el cempasúchil. El aroma de las flores impregnaba los campos de Aurelio y su color se extendía como una alfombra

naranja que abrazaba las montañas. También a Nico y Bazu, quienes se metían entre las hileras de flores y se cubrían de polen.

Con las cosechas de flores, el tiempo pasó: Nico y Bazu crecieron y, para entonces, el niño ya cortaba grandes manojos que se vendían en los mercados de Cholula para celebrar a los fieles difuntos.

—¿No te parece que es la flor más bonita del mundo, papá? —preguntaba Nico cada vez.

—Sí. Sin ella no se podría celebrar el Día de Muertos. ¿Te imaginas un altar sin flores?

¿Cómo nos podrían encontrar las almas de nuestros familiares si no olieran su perfume? —contestaba Aurelio.

A los once años, Nico ya era un niño fuerte, alegre y juguetón. Pero Bazu se volvió más lento y cuando el niño le aventaba la pelota, el perro prefería echarse a descansar.

Un día, Bazu no pudo ponerse de pie. Nico y su familia estaban preocupados y decidieron llevarlo con el veterinario quien, después de revisarlo, suspiró y se dirigió a Nico:

—¿Sabes que Bazu ya es muy viejito?

El niño asintió.

—Tu amigo está muy mal de la panza y lo mejor es que te despidas de él para que ya no sufra.

—¡No, no y no! ¿Quién jugará conmigo? ¿Quién me acompañará a la escuela? ¿Con quién dormiré? —gritó Nico y cruzó los brazos—. Mamá le dará té de cempasúchil con manzanilla y hierbabuena, y mejorará.

Y como Nico abrazó al perro y no lo soltó, sus padres los llevaron de vuelta a casa. Le hicieron una cama con cobijas en el cuarto de Nico, quien no se apartó de su amigo; le dio té de cempasúchil con un gotero y le susurraba al oído lo mucho que lo quería. También le pidió que se recuperara para poder jugar en el campo de flores. Y aunque Bazu meneaba un poco la cola y lamía los dedos del niño, no se levantó.

En la mañana del día siguiente, Nico despertó junto a Bazu y vio que jadeaba. Llamó a sus padres y, cuando vieron el estado del perro, llamaron al veterinario quien llegó unos minutos después.

Nico abrazó a Bazu, acarició su cabeza y le dio besos en el hocico.

—Te voy a extrañar mucho, Bazu —le dijo con lágrimas en los ojos.

Aurelio e Isabel también se despidieron de él y, juntos, acompañaron al perro que tanto querían hasta que respiró por última vez después de que le pusieron una inyección que lo durmió. Esa misma mañana, Bazu fue enterrado en los sembradíos de cempasúchil, donde tanto se había divertido.

Nico extrañaba mucho a su perro y no dormía bien pues se despertaba a cada rato buscándolo a su lado. Los recuerdos que tenía del perro corriendo por los campos de flores, jugando con él y esperándolo afuera de la escuela, no lo ayudaban.

El Día de Muertos se acercaba y en casa de Nico comenzaron los preparativos. Sus papás iban y venían colocando papel picado, fotos, velas, pan de muerto, bebidas y platos con la comida favorita del abuelo, de una tía y de sus bisabuelos. Llenaron cada hueco de la ofrenda con flores de cempasúchil que cortaban directamente del campo, y el altar estaba tan perfumado que se colaron abejas a montones.

Nico decidió construir el suyo al lado. Buscó una caja de cartón que tapó con un mantel; colocó papel picado y agregó montones de flores de cempasúchil. En el centro puso un pan de muerto, una foto de Bazu, su pelota, su collar y su plato lleno de comida. Deshojó muchas flores, hizo un camino de pétalos desde la calle hasta el altar y agregó croquetas para que Bazu lo encontrara con facilidad.

Al día siguiente no quedaba una sola croqueta. En su lugar, junto al altar y como un regalo, había aparecido acurrucada una

pequeña perra negra de orejas largas y cola mediana. El niño se aproximó tímidamente y la perra le lamió los dedos. Por primera vez en muchos días, Nico sintió que la extraña sensación que tenía en la garganta estaba desapareciendo.

Desde entonces tiene a Suka que lo sigue a todos lados, aunque no se olvida de Bazu y cada año arma su altar, busca su tumba y le deja croquetas. Luego sueña que corre con su amigo por los extensos campos de cempasúchil, esa alfombra naranja que abraza las montañas cercanas.

# Flor de veinte pétalos

El cempasúchil, o "flor de veinte pétalos" en náhuatl, era utilizado desde tiempos prehispánicos para honrar a los dioses. En Malinalco solían adornar las tumbas con estas pequeñas flores amarillas porque se creía que guardaban el calor del sol en sus corolas. Por esta razón, el cempasúchil iluminaba el retorno de los muertos y, hasta el día de hoy, se sigue utilizando para trazar un camino que permite a las almas llegar hasta sus altares. Así, los visitantes del otro mundo se nutren de la esencia de sus platillos favoritos, elaborados por sus seres queridos.

Esta flor es alimento y remedio. Con ella se preparan sopas y pasteles y, al final del banquete, la infusión de cempasúchil que ayuda a aliviar el empacho.

Se cultiva principalmente en el Estado de México, Puebla, Morelos, Chiapas, Tlaxcala, Sinaloa, Oaxaca, Veracruz, Jalisco y San Luis Potosí.

# Azúcar blanca

La familia Alfaro estaba compuesta por Hilario, Perla y sus dos hijas; Esmeralda, la mayor, y la pequeña Rubí. Ellas formaban parte de la última de varias generaciones de artistas en su familia.

Junto a su casa, tenían un taller donde practicaban el arte del alfeñique. Producían figuras de animales como borregos, patos, gallinas, canastas y frutas en miniatura.

A partir de septiembre, se concentraban únicamente en elaborar calaveras que vendían durante la Feria del Alfeñique en los portales de Toluca. En grandes cazuelas de cobre, preparaban litros y litros de azúcar líquida que vertían en los moldes de barro que las generaciones anteriores les habían heredado.

Cuando las calaveras pequeñas, medianas y grandes se secaban, eran decoradas con papel brillante, grecas, líneas, garabatos y puntitos hechos con alfeñique de colores que les colocaban con duyas.

Para Rubí, las más grandes eran como hojas en blanco listas para cubrirse de color y, cuando las observaba, sentía la necesidad

de pintarlas y decorarlas. Pero no lo tenía permitido.

Desde muy pequeña llevaba consigo crayones y lápices de colores con los que decoraba hojas de papel y muros. En ellos dibujaba cocodrilos morados, vacas amarillas y árboles azules, mientras su mamá se distraía. Incluso al dormir, movía las manos simulando pintar.

Sin embargo, el alfeñique le estaba prohibido y no lograba convencer a sus padres de que la dejaran participar en la decoración de las calaveras. Por eso Hilario le enseñó a hacer masa de colores con la que Rubí, a los tres años, creó peces, elefantes y mariposas.

—Las calaveras —dijo Hilario— son muy delicadas. Cuando crezcas, aprenderás elaborando las chicas, luego las medianas y, después de varios años, decorarás las grandes.

—Déjenme decorar una. Verán lo bonita que me queda —pedía Rubí, con la duya en la mano, pero no había forma de convencerlos. Entonces dejaba la duya en su lugar y

comenzaba a recortar círculos de papel para los ojos de las calaveras o a limpiar el taller.

Ese año, poco antes de que empezara la Feria del Alfeñique, Hilario y Perla se dieron cuenta de que faltaba azúcar. Salieron de emergencia al expendio mientras Esmeralda seguía decorando calaveras y Rubí barría.

El teléfono sonó en cuanto partieron sus padres; un muchacho buscaba a Esmeralda quien, de inmediato, puso a un lado la calavera y se encerró en el baño.

Aburrida, Rubí siguió barriendo, aunque poco después notó que estaba sola en el

taller con montones de calaveras y nadie a la vista. Escogió una de las figuras grandes y reacomodó las otras para que no se notara que faltaba.

Con dedos ágiles, moldeó y formó una figura tras otra y las pegó en la calavera. Se acercó en silencio a la puerta del baño y, al escuchar los murmullos y risitas de su hermana, regresó a la mesa y agregó detalles con colores vivos. Cuando terminó, llevó la calavera a su recámara y la guardó en la parte más oscura del clóset para que terminara de secarse.

Rubí volvió al taller y, de nuevo, se puso a limpiar. Sus padres entraron en ese momento y acomodaron varios costales de azúcar.

—¿Todo bien, Rubí? —preguntó Hilario.

—Sí, papá. Todo en orden —respondió la niña mientras Esmeralda salía del baño. Luego todos se pusieron a trabajar.

Al día siguiente, muy temprano, Hilario, Perla y Esmeralda acomodaron todas las calaveras en la camioneta. Cuando estaban listos para irse, Rubí exclamó:

—¡Espérenme! Se me olvidó algo en mi recámara.

Entró corriendo a su casa y volvió con una abultada bolsa de plástico por donde se asomaba la manga de un suéter.

—¿Qué traes ahí? —preguntó Perla.

—Otro suéter, mamá. Dejaré la bolsa en la camioneta, por si lo necesito.

—¿Y desde cuándo eres tan friolenta?

Sin decir una palabra más, Rubí abrazó la bolsa y se subió a la camioneta. No la soltó en todo el camino y la escondió bajo el asiento cuando llegaron a la feria.

Ya en el puesto, colocaron todas las calaveras en su lugar y colgaron el papel picado. Cuando Hilario y Perla estuvieron satisfechos con la decoración, él dijo:

—Iremos a la vuelta de la esquina para comprar el desayuno y chocolate caliente. Cuiden el puesto mientras regresamos.

Esmeralda y Rubí los vieron alejarse hasta que desaparecieron. En ese momento, Esmeralda dijo:

—Te encargo el puesto, Rubí. Voy a buscar a mis amigos. No tardo.

En cuanto su hermana se fue, Rubí volvió a la camioneta por la abultada bolsa de la que sacó la calavera que había decorado. La colocó en el puesto, justo en medio de las más grandes. Minutos después, llegaron Hilario y Perla con el desayuno y, al ver la calavera que sobresalía entre todas las demás, miraron a su hija al mismo tiempo.

—¿Y quién decoró esa calavera, Rubí? — preguntó Perla.

—Yo... —confesó la niña.

Seguro la iban a regañar. Le quitarían sus crayones, sus lápices de colores y la masa que

tanto le gustaba manipular. Seguramente nunca más le permitirían decorar una calavera.

Entonces pasó un muchacho que se detuvo al ver la colorida figura:

—¡Qué bonitas mariposas!

—Está sensacional. Me encanta el colibrí entre las flores —se escuchó decir poco después a una señora.

—La iguana parece de verdad. ¿Le puedo tomar una foto? —preguntó una muchacha.

—¿Cuánto cuesta? —preguntó un señor.

Luego de unos minutos, había mucha gente frente al puesto de la familia Alfaro. Perla abrazó a Rubí y exclamó:

—La calavera la decoró nuestra hija Rubí. Estará de exhibición y se venderá cuando termine la Feria del Alfeñique. El próximo año, traeremos varias más decoradas por ella. Mientras tanto, pueden comprar las que están a la venta.

Rubí sonrió y, desde entonces, pintó y adornó a su gusto todas las calaveras que quiso con seres como murciélagos, ranas y búhos.

# El arte del alfeñique

El azúcar llegó a México después de la conquista española, pues los pueblos originarios de México endulzaban sus alimentos con frutas y miel de abeja o de maguey. Gracias al clima del país, el cultivo de la caña de azúcar se propagó, aunque era un producto caro.

Con el mestizaje, el azúcar se incorporó profundamente a las fiestas y tradiciones de México. Una de las más arraigadas es el Día de Muertos, donde en gran parte del país se adornan los altares con calaveras de alfeñique, una pasta elaborada con azúcar cocida.

En México, estas calaveritas se hacen a mano o con moldes de barro que han sido heredados de generación en generación.

Cada año, desde 1989, se lleva a cabo la Feria del Alfeñique en Toluca, Estado de México. Allí se exponen y venden dulces típicos y calaveras decoradas en puestos que se adornan con papel picado de colores vivos.

# Las almas de la fiesta

Rodrigo puso ramos de cempasúchil en una carretilla que también cargó con utensilios de limpieza, pintura y una canasta llena de comida. Luego llamó:

—¡Mamá, es hora de irnos al panteón!

En cuanto llegó Delfina, cada quien asió un mango de la carretilla y caminaron.

—Esto pesa mucho —resopló Rodrigo—. Sería más fácil si mi papá estuviera aquí. ¿Cuándo regresará?

—Pronto, hijo, pronto —dijo Delfina y le acarició la mejilla.

—Es que ha pasado tanto tiempo sin que sepamos de él... Y ya sabes lo que se dice.

—No hagas caso, cariño. Mi corazón me dice que pronto llamará.

Aunque su mamá le decía eso cada vez que preguntaba por su papá, Rodrigo dudaba de ello.

Camino al panteón saludaron a sus amigos, quienes iban al mismo lugar. En cuanto llegaron a los sepulcros de la familia, Delfina y Rodrigo se pusieron a trabajar. Barrieron, quitaron las hierbajas, lavaron las tumbas y las pintaron de un alegre color azul. Luego, las tapizaron de flores y pusieron una foto de cada pariente, velas, vasos con agua de horchata y platos en los que sirvieron un banquete de mole verde, arroz, frijoles y gorditas de haba.

—Qué bonito quedó todo, mamá. Los bisabuelos, los abuelos y la tía Efigenia estarán muy contentos.

En ese momento, se acercó Pedro, el mejor amigo de Rodrigo, y fueron a jugar entre las tumbas a las escondidillas. Luego se sentaron a la sombra de un árbol para descansar.

—¿Le pusieron altar a tu papá? —preguntó Pedro.

—¡Claro que no! ¿Qué te pasa?
—respondió Rodrigo, molesto.

—Perdóname. Como no han tenido
noticias desde que se fue al otro lado, y como
tantos se mueren en el desierto, pensé que...

—¡Pues mienten! Mi papá no ha muerto
—exclamó Rodrigo, quien agachó la cabeza.
Luego de unos minutos de incómodo

silencio, Pedro le dio un codazo a Rodrigo en las costillas y dijo:

—¿Sabes lo que me contó mi abuela? Que a nuestros difuntos les gusta tanto Ocotepec que, cuando llegan para Día de Muertos, permanecen en el pueblo una semana.

—Órale —dijo Rodrigo y sintió que un escalofrío le recorrió el cuerpo—. ¿Y qué hacen aquí?

—Durante el día, se pasean por las calles y visitan los lugares que más les gustaban. En la noche, van a las casas de sus familias. Esperan a que todos se duerman y entran en sus sueños para enterarse de sus alegrías y tristezas.

—¡Qué miedo! —exclamó Rodrigo y se abrazó como si hiciera mucho frío.

En ese momento, Delfina llamó a Rodrigo, quien se despidió de su amigo y corrió con su mamá.

Camino a casa, con voz temblorosa, el niño preguntó:

—¿Es cierto eso de que los muertos andan entre nosotros? Me lo contó Pedro hoy en el panteón.

—Recuerda que los que nos aman no nos pueden dañar, Rodrigo. Además, las ánimas están en el pueblo porque nos vienen a visitar y quieren estar seguras de que estamos bien.

El niño se sintió un poco mejor aunque, por si acaso, decidió que durante esa semana dormiría con la luz encendida.

Llegó la noche del 1 de noviembre. Al son de las campanas de la iglesia, Rodrigo y Delfina salieron a la calle donde la gente seguía los caminos hechos con pétalos de cempasúchil. Algunos entraban a las casas de sus conocidos para consolar a la gente que había perdido un familiar durante el año, otros sólo para ver el altar que habían hecho en honor a los muertos. A cada casa llevaron velas y un pequeño obsequio y, a cambio, recibieron atole, ponche y tamales que los anfitriones preparaban.

Más tarde, Rodrigo y Delfina fueron al panteón donde, junto a las tumbas iluminadas por cientos de velas, cenaron, escucharon música y convivieron con los vecinos.

En cuanto regresaron a casa, Rodrigo se puso la piyama, se cepilló los dientes y se metió a la cama. Estaba tan cansado que se durmió en un instante y olvidó dejar encendida la luz.

Horas más tarde, un susurro afuera de la ventana lo despertó. Entonces recordó que el pueblo estaba poblado por almas. Al principio se tapó la cabeza con la cobija, pero le ganó la curiosidad. ¿Qué era esa sombra en la esquina? ¿La abuela? ¿Y el ruido afuera de su ventana? ¿Sería la tía Efigenia? De nuevo se tapó la cabeza y comenzó a temblar. Hasta que recordó a su papá.

Si era verdad que él ya no regresaría, ¿era posible que estuviera entre todas las almas que ahora deambulaban por el pueblo? Aunque el corazón le latía muy fuerte, Rodrigo se levantó, se puso los zapatos y una chamarra y, sin hacer ruido, salió de su casa y caminó apresuradamente hacia el zócalo pues las almas sólo podrían estar en el corazón del pueblo.

Las calles, iluminadas sólo por la luz de la luna, estaban vacías. El viento sacudía las ramas de los árboles mientras Rodrigo caminaba esperando toparse con las almas en las calles, pero no vio ninguna. Siguió caminando y, a medida que se acercó al zócalo, a sus oídos llegó un leve ruido que fue creciendo en intensidad hasta que se convirtió en un barullo. Había fiesta.

Se escondió detrás de un árbol que estaba frente al zócalo y pudo ver a las almas congregadas. Eran tan transparentes que se podía ver a través de ellas. Algunas usaban ropa típica del pueblo y otras, la de antaño. Un alma vendía globos y algodones de azúcar, otra elotes y esquites. En el kiosco, los músicos tocaban un alegre vals mientras, en la plaza, varias parejas bailaban alrededor. Otras cenaban, deleitándose con la esencia de la comida que su familia había preparado, y las almas más jóvenes jugaban a las escondidillas.

Rodrigo pensó en irse, pues quién sabe qué le harían si era descubierto, pero al recordar la razón de su visita se armó de valor y se subió al kiosco para poder ver a todos.

—Bu... buenas noches —tartamudeó.

—¡Miren! ¡Un niño vivo! —dijo un alma joven.

Las miles de almas se acercaron a la escalera del kiosco y Rodrigo, con las rodillas temblorosas, se atrevió a preguntar:

—Papá, ¿estás aquí?

Se hizo el silencio.

Rodrigo llamó, ahora con voz más fuerte:

—¿Alguien me puede decir si está aquí Cipriano Torres? Mi mamá y yo no hemos tenido noticias de él.

Las almas cuchichearon entre sí hasta que una mujer dijo:

—Siempre le damos la bienvenida a los nuevos y él no está entre nosotros.

Rodrigo suspiró hondo. Su padre estaba vivo y eso era todo lo que importaba.

—Muchas gracias y buenas noches —dijo Rodrigo contento y sonriente.

Bajó las escaleras, listo para ir de vuelta a su casa pero, en ese momento, el alma de un hombre exclamó:

—¡Espera! Por aquí están tus otros familiares.

Rodrigo vio acercarse a los abuelos, a la tía Efigenia y reconoció a los bisabuelos de las fotos. Corrió hacia ellos y trató de abrazarlos, pero sus brazos no sujetaron nada. Aun así, ellos lo acariciaron y besaron. Fue como estar envuelto en un velo fresco.

—Sabemos de ti por tus sueños —dijo el abuelo—, pero es mejor que nos cuentes tú.

—¿Cómo te va en la escuela? —preguntó la bisabuela.

—¿Tienes muchos amigos? —secundó el abuelo.

—¿Haces muchas travesuras, como yo? —preguntó el bisabuelo.

Rodrigo y sus difuntos conversaron durante horas y la fiesta siguió hasta el canto del gallo. Entonces todas las almas comenzaron a desvanecerse; era momento de despedirse. Los cinco rodearon a Rodrigo y le dieron suaves besos de brisa y abrazos de neblina:

—Adiós, aquí estaremos varios días más y regresaremos el año que entra. No se te olvide visitarnos en el panteón y regresar a vernos en nuestra fiesta. Y recuerda que siempre estaremos contigo mientras te acuerdes de nosotros.

Cuando la plaza quedó vacía, Rodrigo corrió a su casa. Empujó la puerta y entró gritando:

—¡Mamá, ven que tengo mucho que contarte!

Delfina estaba al teléfono, con los ojos llorosos. ¿Sería una mala noticia?

Al ver a su hijo, le ofreció el auricular. Rodrigo lo tomó y al escuchar la voz de quien le hablaba del otro lado, sonrió.

—¡Papá!

# La ofrenda nueva

En Ocotepec, Morelos, desde semanas antes del Día de Muertos, las familias acuden al panteón a poner altares y adornar las tumbas de sus difuntos. Sin embargo, si algún miembro acaba de morir ese año, la familia coloca en su propia casa un altar al que llaman "ofrenda nueva".

Para que el alma sepa cómo llegar a ella, se traza un camino de cempasúchil que la conduce hasta su ofrenda: sobre una mesa se recrea el cuerpo del fallecido con panes, frutas y verduras, que son cubiertos con una sábana y encima se coloca ropa nueva para el difunto. En ocasiones se pone una calavera de alfeñique donde va la cabeza.

El muerto se rodea de su comida y bebida favorita. A su alrededor están representados los cuatro elementos: la tierra con el pan, el agua con la bebida, el fuego con las velas y el viento con el papel picado.

# Detrás de la máscara

Cuando Elena y su abuelo, don Flavio, llegaron al panteón, éste ya estaba lleno de gente. Caminaron entre las tumbas, saludando a conocidos y amigos, hasta que llegaron a los sepulcros de su familia.

—¡Manos a la obra, Elena! Hay que dejar todo perfectamente limpio para recibir a nuestros muertitos. Lava muy bien y si encuentras una araña, no le hagas daño —dijo don Flavio y le dio un cepillo.

Mientras limpiaba y restregaba las tumbas, Elena observó una pila de tierra, piedras y hierbajas en la que descubrió una pequeña lápida cuarteada con una cruz rota.

—¡Abuelo, encontré algo!

Don Flavio se acercó:

—Es una tumba abandonada desde hace muchísimos años. Fíjate cómo el sol, la lluvia y el viento han borrado casi por completo lo que tenía grabado. Es muy triste que nadie se acuerde de ella.

—¿La puedo arreglar?

—Eso es una muy buena idea, Elena.

La niña comenzó a limpiarla; le quitó la tierra y las plantas, lavó todo muy bien, corrió a varias arañas y enderezó la cruz lo más que pudo. Cuando levantó la mirada, vio a un niño como de unos ocho años; vestía un disfraz de vaquero y su cara estaba cubierta con una elaborada máscara por la que se asomaba un par de ojos muy oscuros.

—¡Hola! —dijo Elena —¿Cómo te llamas?

—Ildo.

—Nunca había oído ese nombre.

Ildo encogió los hombros y preguntó:

—¿Qué haces?

—Estoy arreglando esta tumba abandonada —contestó Elena.

—¿Por qué?

—Nadie lo ha hecho en años y el abuelo dice que es importante que alguien se acuerde de la persona enterrada aquí. ¿Quieres ayudarme?

El niño asintió y los dos se pusieron a trabajar. Cubrieron la lápida con flores de cempasúchil, mano de león y bojolito, luego colocaron un pan de muerto, una taza con chocolate y un tamal.

—Quedó muy bien, ¿no crees, Ildo?

Cuando Ildo asintió, se le movió un poco la máscara, pero de inmediato se la acomodó.

—¿Por qué no te quitas la máscara? Has de estar muy acalorado —dijo Elena.

—Porque no —respondió Ildo, mientras colocaba una manzana y una mandarina entre las flores.

—¿Vas a participar en una de las comparsas? —preguntó la niña.

—¡Me encantaría! ¿Puedo ir contigo? Yo zapateo muy bien y me sé todos los pasos.

—¡Claro! Además, ya tienes tu disfraz y a todos les va a encantar tu máscara. ¿Me la puedo probar?

Pero Ildo dio unos pasos para atrás.

—Está bien, ya no te la pediré —dijo Elena—. Espérame aquí mientras me despido del abuelo.

Poco después Elena e Ildo salieron del panteón y llegaron a la calle donde ella vivía. Había muchos niños y pronto empezó el ensayo al son de los músicos: los bailarines daban cuatro pasos a la derecha, cuatro a la izquierda y una vuelta completa, zapateando con entusiasmo.

Cuando terminó el ensayo, los bailarines se dispersaron. Elena, con Ildo pisándole los talones, se dirigió hacia su casa y entró tan rápido que aventó la puerta.

—¡Mamá, ya llegamos! ¿Me ayudas a ponerme el disfraz?

No se dio cuenta de que Ildo se había detenido en el umbral. Adela abrazó a su hija y le dijo a Ildo:

—Pasa, hijo. ¡Qué buen disfraz traes! ¿Eres Fernando? ¿O eres Germán?

El niño negó con la cabeza y Elena soltó una carcajada.

—Ni uno ni otro. Es Ildo, mi nuevo amigo.

—Mucho gusto en conocerte, Ildo —lo saludó Adela.

—Siéntate que no tardo nada en ponerme el disfraz —pidió Elena a su amigo.

Sin decir nada, Ildo pasó y se sentó en la orilla de un sillón, los pies juntos y las manos en el regazo.

Una vez en su recámara, Elena le susurró a su mamá:

—Creo que Ildo es muy tímido: no se quita la máscara ni de chiste. ¿Será que tiene los dientes chuecos o las orejas muy grandes?

—No lo sé, pero no le insistas, que sus razones tendrá. Rápido, vístete y ponte la máscara que ya casi empieza la comparsa.

Unos minutos después, Elena e Ildo se unieron al grupo del barrio. Al son de *La pájara pinta*, guiados por un vaquero, marcharon y zapatearon de casa en casa por todo el barrio hasta que, cuando empezó a oscurecer, llegaron a la plaza central. Subieron hasta el escenario, que era una larga tarima de madera y, golpeando muy fuerte con los tacones de sus zapatos, bailaron cuatro pasos a la derecha, cuatro pasos a la izquierda y dieron una vuelta completa, repitiéndolo hasta que llegaron al otro extremo. Ahí se despidieron del público.

De vuelta a casa, los amigos iban platicando, felices:

—Qué bien bailaste, Ildo —le dijo Elena, mientras se quitaba su careta—. Según mi abuelo, ahora nos podemos quitar la máscara sin peligro de que nos encuentre la Muerte. ¿Te ayudo con la tuya?

—¡No! —gritó Ildo y comenzó a correr.

—¡Espera! —le pidió la niña.

Sin pensarlo dos veces, Elena siguió a su amigo por las calles vacías hasta que lo vio entrar al panteón. Buscó entre las tumbas y lo encontró jadeando, con la espalda recargada en la pequeña lápida que habían limpiado hace apenas unas horas con tanto cuidado. Elena se arrodilló frente a él:

—¿Por qué corriste? ¿Es porque te da pena algo? No dejaré que nadie se burle de ti aunque tengas los dientes chuecos o las orejas grandes.

Con manos temblorosas, Ildo al fin dejó caer su máscara. La piel se le erizó a Elena, pues frente a ella había un niño de cabeza transparente y ojos oscuros sin fondo.

Se puso de pie y dio unos pasos para atrás, pero se topó con una de las tumbas de su familia. Ildo estiró la mano y exclamó:

—¡No tengas miedo! No te haré daño.

—Pe... pero si eres... ¡un fantasma!

—Por eso no me quito la máscara. Debí haberme ido después de arreglar mi tumba, pero no aguanté las ganas de participar de nuevo en la comparsa.

—¿En... entonces por qué vienes? —tartamudeó Elena.

—Vengo cada año para ver si alguien se acuerda de mí. Mi familia se fue del pueblo hace mucho tiempo y nunca regresó. Y hoy, que podemos andar disfrazados entre los vivos, me quedé cerca de mi tumba por si alguien venía a visitarme.

—¿Y eres el único que busca a alguien que lo recuerde? —preguntó, más tranquila.

—No —dijo Ildo—. Mira hacia los árboles.

Apenas perceptibles en la oscuridad, algunas sombras deambulaban entre ellos.

De pronto, una alta y delgada silueta se acercó a Ildo, lo tomó de la mano y lo ayudó a ponerse de pie.

—Ven, Hermenegildo —dijo con voz apacible—. Es hora de regresar.

—Adiós, Elena, y gracias.

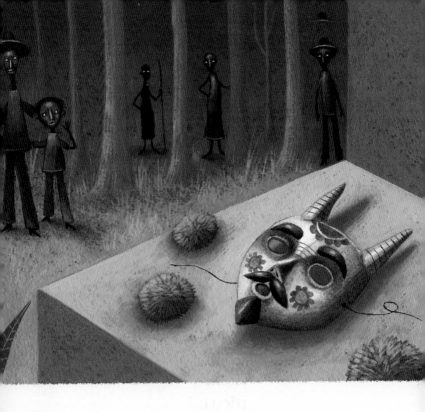

De la mano de la Muerte y acompañado por las tenues figuras de los olvidados, Ildo se perdió en la oscuridad del panteón.

—Adiós, Ildo. Te prometo que arreglaré el resto de las tumbas que están abandonadas —gritó Elena.

Cuando se quedó sola, recogió la máscara de Ildo y la acomodó entre las flores de su lápida.

# El Xantolo

En Tempoal, Veracruz, se celebra El Xantolo, que viene del español *xanto* (santo) y del náhuatl *olo* (abundancia): "abundancia de todos los santos". Desde el 30 de octubre se arman los altares en cada barrio y la gente ensaya un baile tradicional que, en sus orígenes, sólo ejecutaban danzantes viejos. A este grupo se le conoce como La viejada o Comparsa, que se acompaña por un trío que toca sones tradicionales.

La comparsa tiene lugar del 1 al 3 de noviembre. Los bailarines usan máscaras para no ser reconocidos por la Muerte que deambula entre los danzantes. Las máscaras que más se usan son las de diablo, vaquero, hombre viejo, mujer embarazada y calavera.

Aunque hay gente que se quita la máscara en diferentes momentos, lo más tradicional es que, durante una última aparición sobre la tarima, los danzantes se la quiten y bailen con ella en la mano cuando están seguros de haber burlado a la Muerte.

# Doña Nieves

Desde muy pequeña, Lucía se sentaba en la mecedora con doña Nieves, su abuela. Cada tarde se cubrían con una cobija tejida de estambre rojo y pasaban las páginas de algún libro que la niña eligiera de entre todos los que estaban en el librero. En otras ocasiones, y con los lentes en la punta de la nariz, su abuela tejía sin parar mientras le narraba historias que, a su vez, le habían contado sus abuelos a ella.

Al paso de los años, Lucía dejó los biberones y los baberos; planeó y llevó a cabo travesuras, ayudó en la casa y entró a la escuela. Mientras tanto, los ojos de doña

Nieves se nublaron poco a poco, aunque sus oídos estaban más alerta que nunca, pues aunque ya no podía leer siguió tejiendo. Se sentaba en su mecedora durante horas a escuchar la radio o los ruidos que llegaban por la ventana, mientras sus agujas repiqueteaban un *clic*, *clic*, *clic*, para convertir los estambres multicolor en suéteres, guantes, cobijas, bufandas y calcetines para su familia.

Lucía acompañaba a su abuela todas las tardes y compartían un libro.

En una ocasión, cuando la niña se disponía a leerle, echó de menos ser ella quien escuchara las historias, así que le pidió:

—Cuéntame qué escuchaste hoy, abue.

Lucía cerró los ojos para oírla mejor. La abuela, con su voz suave, acompañada del siempre presente *clic*, *clic*, *clic* de las agujas, le platicó:

—Hubo un congreso de pájaros en el pino. Pensé que acabarían peleando porque comenzaron a discutir, pero se pusieron de acuerdo y cantaron muy bonito. Las abejas zumbaron para avisarles a sus compañeras cuáles eran las flores más dulces de la terraza. Después, una pareja de enamorados se juró amor eterno debajo de mi ventana. Tuve ganas de hacerles una travesura, pero decidí portarme bien… Ahora abre el libro para que nos divirtamos con el cuento de hoy.

Lucía empezó a leer. Entonaba la voz como doña Nieves le había enseñado, y sólo se detuvo cuando encontró una palabra que no conocía. En casos así, la deletreaba y su abuela le corregía la pronunciación.

Cuando terminó, Lucía cerró el libro y se dirigió a doña Nieves:

—Mañana leeré el último cuento y luego escogeremos otro libro, abue.

—Qué orgullosa estoy de ti, Lucía. Lees muy bien. Yo extraño hacerlo. Por suerte, ahora que tú me cuentas historias, podemos seguir disfrutándolas juntas.

La tarde siguiente, Lucía llegó corriendo al cuarto de su abuela; estaba lista para leerle el último cuento del libro. Se le hizo raro no escuchar el *clic, clic, clic* de las agujas y ver a doña Nieves sentada en la mecedora, con los ojos cerrados y las manos

quietas sobre una bufanda a medio acabar.
El corazón comenzó a latirle acelerado.
Mientras se acercaba lentamente, se dio
cuenta de que la abuela había muerto.

Esa noche velaron a doña Nieves en la
casa y, al día siguiente, todo el pueblo fue
a despedirla al panteón.

Desde entonces, cada vez que Lucía
pasaba por la recámara de su abuela, sentía
un hueco en el estómago. Sólo la confortaba
sentarse en la mecedora, cubrirse con la
cobija y leer un libro en voz alta.

El tiempo pasó y el viento anunció la llegada del Día de Muertos. Todo el pueblo puso manos a la obra para recibir a sus difuntos.

A la casa de Lucía arribaron sus tías y sus primas, y prepararon montones de tamales y litros de atole para las visitas que vendrían a conocer la *kejtzitakua,* el altar en honor a su abuela pues había muerto durante ese año. Por la noche llegarían sus vecinos y sus amigos a verlo, acompañados por los caballitos de madera que portaban una ofrenda en honor a su difunta.

Lucía quería honrar a su abuela pero ninguna idea la satisfacía hasta que por fin se le ocurrió algo. Corrió al taller de carpintería de su papá, le pidió ayuda y ambos comenzaron a trabajar de inmediato en la idea de la niña. En cuanto estuvo listo, Lucía cargó y llevó al cuarto de su abuela ese regalo especial.

Las visitas tronaron un cohete para anunciar su arribo y entraron al patio cargando los caballitos de madera cuyos lomos, repletos de flores, hortalizas, frutas, velas y panes, fueron colocados cerca del altar en honor a doña Nieves. Poco después, a la luz de las velas, repartieron los tamales y el atole.

Lucía fue la última en llegar, cargando el caballito que había hecho para su abuela. Portaba sus lentes, flores de cempasúchil cubrían su lomo y cuello y, anidados entre ellas, yacía el último libro que habían leído juntas. Ahí estaban también sus agujas de tejer con media bufanda y una bola de estambre.

—Qué bonita manera de honrar a mi mamá —dijo su papá y la abrazó.

Aún hoy en día, Lucía escucha el *click, click, click* de las agujas. No se asusta pues sabe que es su abue Nieves quien ha venido a visitarla.

# La kejtzitakua

Cuanajo, Michoacán, es un pueblo de artesanos carpinteros.

La *kejtzitakua* es una ofrenda que los pobladores colocan el 1 de noviembre en honor a las personas que han muerto durante el último año.

En purépecha, *kejtzitakua* quiere decir "poner algo en la mesa". Por eso el altar, que se coloca en el piso de una habitación específica de la casa del fallecido, se adorna con flores de cempasúchil, velas, papel picado, copal, pan con forma humana y un petate que simboliza la tierra. Para que el alma llegue a su ofrenda, se traza un camino de pétalos de cempasúchil que inicia en la puerta de la casa y termina en el altar.

La noche del 1 de noviembre, amigos y familiares arriban a la casa del difunto; anuncian su llegada tronando cohetes y ofrendan un caballito hecho de madera del que, generalmente, cuelgan alimentos. Se cree que el alma, al volver al inframundo, monta el lomo del caballito y se lleva la escencia de lo ofrendado por sus familiares.

# Índice